Vacaciones Santillana

110 ejercicios
para mejorar la **comprensión lectora**

Lectura
2º PRIMARIA

¡Qué alegría me da verte!

Durante este verano pasaremos algunos ratos juntos y espero que seamos amigos. En este cuaderno encontrarás textos estupendos con preguntas que te ayudarán a comprender lo que has leído. Mi trabajo será ayudarte en las actividades para que las hagas muy bien. A veces me muestro bueno y colaborador, y otras veces, un poco malvado.

Ahora quiero darte algunos consejillos para que trabajes mejor:

- Dedica todos los días un rato a hacer los ejercicios; no te llevará demasiado tiempo y te permitirá repasar lo que ya sabes y prepararte para el nuevo curso.

- Lee los textos dos veces antes de realizar los ejercicios. Y atiende bien a las indicaciones que yo te doy, porque te van a ayudar mucho.

- Haz las actividades con cuidado; escribe con lápiz por si te equivocas y tienes que borrar.

- Si necesitas ayuda para realizar algún ejercicio, puedes mirar en el solucionario que se encuentra al final del cuaderno, pero es mejor que intentes resolverlo sin consultar.

- Cuando acabes el cuaderno, comprueba las soluciones.

¡Nos vemos en la página 6!

Índice

1 Barbas y Melenas

- Atención.
- Cualidades de los personajes.

LEE CON MUCHO CUIDADO PARA DESCUBRIR LAS DIFERENCIAS ENTRE LOS DOS TEXTOS.

Las Mil y Una Barbas

En el país de las Mil y Una Barbas, todos los hombres eran barbudos. Todos lucían enormes barbas, cepilladas cuidadosamente, que les llegaban casi hasta los pies.

Era un poco difícil distinguirlos, pero no demasiado, ya que había barbas negras, barbas blancas, castañas, rubias, pelirrojas y entrecanas*.

Todos los barbudos vestían trajes muy serios. Las calles se encontraban siempre llenas de barbas ambulantes.

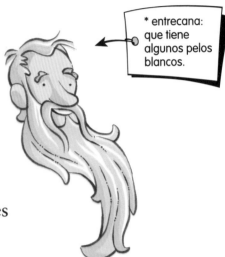

* entrecana: que tiene algunos pelos blancos.

Las Mil y Una Melenas

En el país de las Mil y Una Melenas, todos los hombres eran melenudos. Todos lucían largas melenas, despeinadas cuidadosamente, que les llegaban casi a los pies.

Era un poco fácil distinguirlos, pero no demasiado, ya que había melenas negras, melenas blancas, castañas, rubias, pelirrojas y verdes.

Todos los melenudos vestían bañadores muy serios. Las calles se encontraban siempre vacías de melenas ambulantes.

1 Compara estos dos textos. Subraya las palabras que han cambiado en el segundo caso.

2 Marca con X la respuesta que es verdadera.

☐ En el país de las Mil y Una Barbas todas las barbas eran del mismo color.

☐ Los barbudos llevaban sus barbas despeinadas.

☐ Los barbudos vestían trajes serios.

3 ¿Cuál de estos hombres vivirá en el país de las Mil y Una Barbas? Coloréalo.

4 Relaciona. Después, completa.

Un hombre con barba   es un perro lanudo.

Un hombre con melena   es un hombre barbudo.

Un perro con lanas   es un gato bigotudo.

Un gato con bigotes   es un hombre melenudo.

 Es un hombre barbudo.

 Es _____

 _____

 _____

5 Copia con buena letra.

El país de las Mil y Una Barbas era un poco aburrido.

_____

2 El chicle

- Vocabulario.
- Referencias temporales y comparaciones.

FÍJATE BIEN EN LAS PALABRAS QUE INDICAN CÓMO SON LAS COSAS.

El chicle no es un invento tan moderno como parece. Se conoce desde hace muchísimo tiempo.

Antiguamente, los indios mexicanos lo llamaban *tzictli*, que en su idioma significaba *estar pegado*.

Pero sus chicles no se parecían a los de ahora. Los hacían con la savia de un árbol que se llama zapote y no tenían sabor. Eran sosos y muy duros, tanto que no se podía hacer globos.

A los encargados de recoger la savia del árbol se los llamaba chicleros. Y tenían mucho trabajo porque los indios lo masticaban a todas horas.

Hoy en día, los chicles son blandos, dulces y tienen diferentes sabores. Están mucho más ricos, pero pueden producir caries si los comemos y no nos lavamos los dientes.

1 Rodea con lápiz rojo dos palabras que indiquen cómo eran antes los chicles y con azul, cómo son ahora. Después, escríbelas.

ANTES	_____

AHORA	_____

2 Marca con X la respuesta verdadera.

☐ Antiguamente, los chicles eran dulces.

☐ El chicle es un invento moderno.

☐ Los indios masticaban chicle a todas horas.

8

3 Busca en esta sopa de letras el nombre de cuatro sabores de chicle y escríbelos donde corresponda.

B	A	N	R	S	I	O
E	F	R	E	S	A	I
N	O	D	A	S	J	E
M	E	N	T	A	S	U
O	L	I	M	Ó	N	O
N	I	S	A	M	A	R
P	L	Á	T	A	N	O
E	N	A	U	A	S	O

El aroma de la menta se obtiene de una planta.

4 Une las palabras que tengan *za* y descubrirás el dibujo misterioso. Colorea.

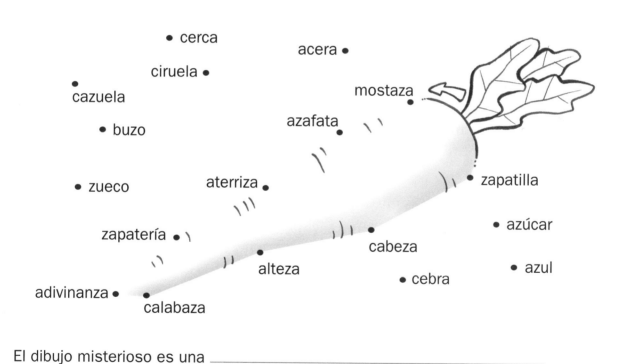

- cerca
- acera
- ciruela
- cazuela
- mostaza
- buzo
- azafata
- zueco
- aterriza
- zapatilla
- azúcar
- zapatería
- cabeza
- azul
- alteza
- cebra
- adivinanza
- calabaza

El dibujo misterioso es una _____

5 Busca en el texto la parte que empieza con las palabras siguientes y cópiala con buena letra.

Están mucho más ricos, _____

_____

3 El puchero mágico

- Las situaciones narrativas.
- Antecedentes y consecuentes.

¿QUÉ LE PASÓ A LA VECINA ENVIDIOSA?

Una niña iba paseando por el bosque cuando se encontró con una viejecita muy amable que le dijo:

–Toma este puchero, hija. Cuando tengas hambre, levantas la tapadera y dices: «Cuece, pucherito, cuece». Enseguida verás que se llena con la comida que deseas. Cuando ya no tengas apetito, le dices: «Basta, pucherito, basta».
Y el puchero se vaciará.

La niña agradeció el regalo y se lo llevó a su casa.

Un día, una vecina oyó desde la ventana que la niña decía: «Cuece, pucherito, cuece», y vio que el puchero le preparaba un delicioso guiso. Como era muy envidiosa, decidió robar el puchero. Y así lo hizo.

¡CÓMO ME GUSTARÍA TENER UN PUCHERO MÁGICO!

La vecina llevó el puchero a su casa. Y mientras pensaba en un buen plato de natillas, ordenó: «Cuece, pucherito, cuece».

Al instante, el puchero empezó a preparar las natillas. La mujer comía y comía, y del puchero seguían saliendo más y más natillas. Aquello nunca se acababa y la mujer no sabía qué hacer.

Las natillas salieron y salieron hasta llenar la casa y después la calle y luego todo el barrio… Y siguieron saliendo hasta que llegó la niña y dijo: «Basta, pucherito, basta».

La vecina tuvo que limpiar todas las casas y las calles del pueblo. Y, por supuesto, no volvió a probar las natillas en toda su vida.

1 Rodea en el texto las siguientes palabras: *bosque*, *barrio* y *pueblo*.

2 Contesta.

¿Qué regaló la anciana a la niña?

_____

¿Qué podía hacer el puchero?

_____

¿Qué decidió hacer la vecina de la niña?

_____

¿Qué ocurrió en el pueblo?

_____

¿Por qué crees que la vecina nunca más comió natillas?

_____

3 Imagina que una viejecita te regala el puchero mágico.

¿Qué comida pedirías al puchero mágico?

_____

¿Qué comida no pedirías nunca?

_____

4 Copia con buena letra lo que tuvo que hacer la vecina.

La vecina tuvo _____

_____

4 En el autobús

- La expresión de sentimientos a través de los gestos.
- Relaciones de causa-efecto.

¿CÓMO SE SIENTE ANDRÉS?

1 Subraya en el texto el nombre de una profesión.

2 ¿Qué dice cada personaje? Une.

NO HACÍA FALTA QUE ME GRITARAS.

VE TÚ DETRÁS, YO ME QUEDARÉ AQUÍ.

BUENOS DÍAS.

3 Marca. ¿Qué significa la expresión *Andrés estaba rojo como una amapola*?

☐ Se puso rojo porque tenía mucho calor.

☐ Se puso rojo porque sentía vergüenza.

☐ Se puso rojo porque tenía miedo.

☐ Se puso rojo porque tomó mucho el sol.

4 Relaciona cada personaje con el sentimiento que expresa. Después, completa.

triste

alegre

avergonzado

asustado

Andrés se sentía avergonzado porque _____

_____

5 Los anuncios

- Relación entre los textos y las imágenes gráficas.
- Vocabulario sobre la vivienda.

1 Lee el anuncio y completa el plano.

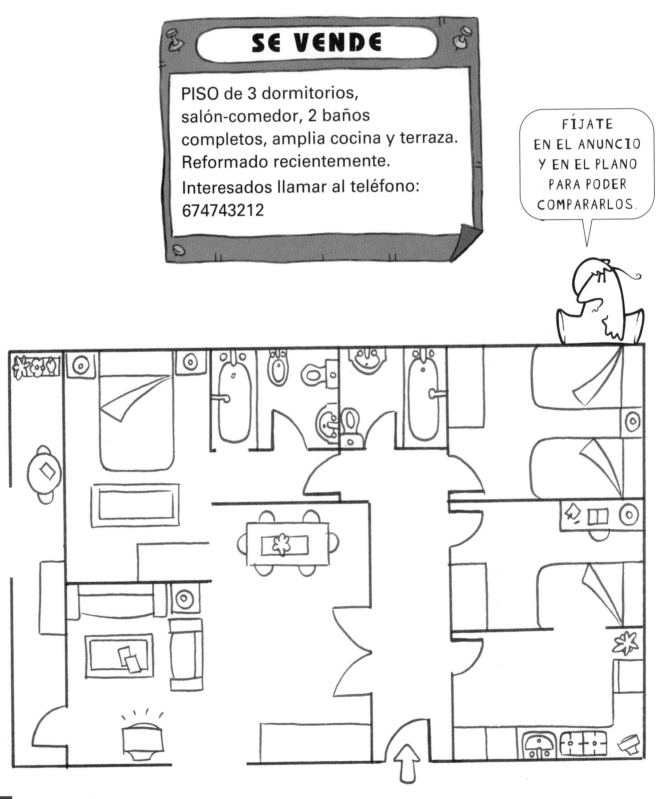

SE VENDE

PISO de 3 dormitorios, salón-comedor, 2 baños completos, amplia cocina y terraza. Reformado recientemente.
Interesados llamar al teléfono: 674743212

FÍJATE EN EL ANUNCIO Y EN EL PLANO PARA PODER COMPARARLOS.

2 Observa el plano y completa el anuncio.

SE VENDE

PISO de .... dormitorios, salón-comedor, ... baño completo, amplia cocina y terraza. Reformado recientemente.
Interesados llamar al teléfono:
....

¿QUIERES DECORAR ESTE PISO A TU GUSTO? PUES, ¡ADELANTE!

3 Colorea en ambos planos las habitaciones de amarillo, la cocina de azul, la terraza de rosa y los baños de verde. Después, escribe los nombres de todas las estancias.

Baño, cocina _____

4 ¿Dónde colocarías cada elemento? Escribe oraciones.

COCINA   BAÑO   SALÓN   TERRAZA   DORMITORIO

La cama se coloca en el dormitorio.

La nevera _____

_____

_____

_____

6 ¿Quién hay aquí?

- Lectura de imágenes.
- Relación entre los textos y las imágenes gráficas.

OBSERVA EL DIBUJO CON ATENCIÓN PARA ENCONTRAR UN ERROR.

1 Lee las oraciones y observa el dibujo. Después, escribe V (verdadero) o F (falso), según corresponda.

☐ En el dibujo se ve el fondo del mar con ballenas y delfines.

☐ La imagen es de un lago en el que nadan patos y una gallina. También hay ranas.

☐ Junto a las ranas aparecen libélulas y mariquitas.

☐ Unas ranas están saltando, otras nadan y otras cantan subidas a una piedra.

☐ Hay bandadas de gansos que vuelan a lo lejos.

☐ Se ven más de cinco patos en total.

☐ Los saltamontes cantan cerca del agua.

☐ Como es de noche, las ranas están dormidas.

☐ Los sapos descansan sobre las hojas que flotan en el agua.

2 En el dibujo hay un error. Rodéalo y explica en qué consiste.

_____

_____

3 Escribe los nombres de seis animales que se han nombrado en esta página.

_____   _____   _____

_____   _____   _____

7 Las tareas del agricultor

- Secuencias temporales.
- Palabras que indican acciones.

LEE PRIMERO EL TEXTO COMPLETO UNA VEZ Y, DESPUÉS, VUELVE A LEERLO Y HAZ LOS EJERCICIOS.

Para obtener el trigo, el agricultor trabaja mucho en el campo.

Primero, tiene que arar con el arado para remover la tierra.

Después, debe sembrar el trigo arrojando las semillas sobre la tierra.

Más tarde, cuando las espigas están doradas, hay que segarlas.

Por último, hay que aventar el trigo, que es lanzarlo al aire, para separar los granos de la paja.

Hace años, estas tareas las hacía el agricultor con herramientas y animales. Pero ahora hay máquinas que hacen estos trabajos de forma automática.

1 Lee atentamente el texto y escribe lo que se pide a continuación:

Las palabras que indican el orden en el que suceden las cosas (primero, después…).

_____

_____

_____

Las palabras que explican los trabajos que realiza el agricultor.

_____

_____

_____

2 Relaciona cada palabra con su significado:

Arar   es echar las semillas en la tierra.

Sembrar   es separar la paja del trigo.

Segar   es remover la tierra con el arado.

Aventar   es cortar las espigas.

3 Completa con *hace años* o *ahora*, según corresponda.

EL LABRADOR

_____   _____

EL TRANSPORTISTA

_____   _____

4 Explica cómo ha cambiado el trabajo del transportista.

Hace años _____

_____

_____

_____

8 El león y el ratón

- Palabras con *r* y *rr*.
- Relaciones de causa-efecto.

AL LEER EL TEXTO, FÍJATE EN LAS PALABRAS QUE EMPIEZAN CON R Y EN LAS QUE LLEVAN RR.

Había una vez un ratón que estaba preso entre las garras de un león.

El ratoncillo no estaba así por haberle robado comida al león, sino porque estaba jugando y merodeando por donde el león dormía la siesta y, claro, este, enfadado, apresó al ratón.

El ratón, al verse preso, pidió disculpas al león por haberle molestado y este se apiadó de él y le perdonó.

Pasado un tiempo, estaba el león cazando, cuando cayó en una trampa, una gran red que se encontraba escondida entre la maleza. Quiso salir, pero la red se lo impedía; entonces empezó a rugir con fiereza, pidiendo auxilio.

El ratón, al oír sus rugidos, no lo pensó dos veces y corrió hacia el sitio donde se hallaba el león preso. El animalito comenzó a roer la red, así consiguió romperla y pudo liberar al león.

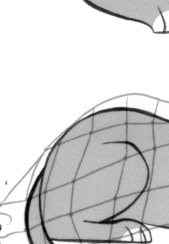

1 Rodea cinco palabras en el texto que empiecen por *r*.

2 Subraya dos palabras en el texto que lleven *rr* y escríbelas.

3 ¿En qué orden ocurrió? Numera las viñetas.

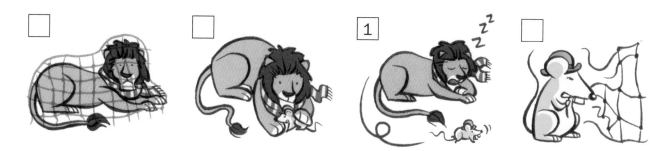

4 Relaciona cada palabra con su significado.

Merodear   encontrarse en un lugar.

Hallarse   andar alrededor de un lugar.

Apiadarse   sentir lástima por alguien.

5 ¿Quién es quién? Lee lo que dice cada personaje y adivina quién es.
Después, dibújalos donde corresponda.

6 Copia con buena letra lo que hizo el ratón al verse preso.

El ratón, al verse preso, _____

_____

_____

_____

9 Los animales

- Vocabulario relacionado con los animales domésticos.
- Onomatopeyas.

PON ATENCIÓN A LOS NOMBRES DE LOS ANIMALES, EL SONIDO QUE PRODUCEN Y DÓNDE VIVEN.

¡Guau...! ¡Guau...!
Se oía al perro ladrar.
El gato viejo y gruñón
no dejaba de maullar.
Hasta el gallo, sin ser hora,
subido en el palomar,
lanzó su kikirikí,
que asustó a todo el corral.
Pues, ¿qué pasa? Pues, ¿qué pasa?
Dijo la pata: ¡Cluá! ¡Cluá!,
saliéndose del estanque
con sus patitos atrás.
Cluá, cluá, cluá, cluá.

Pues, ¿qué pasa? Pues, ¿qué pasa?
Lo que tuvo que pasar:
que el perro le empujó al gato,
y el gato cayó al corral,
que el gallo se subió en alto
y se puso a gallear.
Volvió al estanque la pata
después de ponerles paz,
y al grito de: ¡Al agua, patos!,
al agua obedientes van.

CONCHA LAGOS

1 Rodea en el texto los nombres de animales y contesta.

¿Son animales domésticos o salvajes? ¿Por qué?

2 Colorea a los protagonistas de la poesía.

3 Escribe junto a cada animal el sonido que produce.

El gato hace miau.   El _____

_____   _____

4 Lleva a cada animal al lugar donde vive.

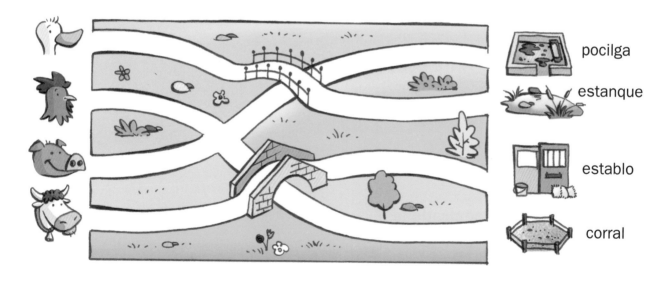

pocilga

estanque

establo

corral

5 Copia con buena letra lo que ocurrió en la granja.

Que el perro _____

_____

10 ¡Qué lío de recetas!

- Elementos de una receta.
- Relación entre ingredientes y platos.

PIENSA QUÉ INGREDIENTES LLEVA CADA RECETA.

Julia y Félix van a preparar la comida para sus amigos.
Julia va a hacer pollo asado y Félix, arroz con leche.
Pero los ingredientes de sus recetas se han mezclado.

1 Lee los ingredientes. Después, escríbelos donde corresponda.

UN INGREDIENTE NO SE UTILIZA EN NINGUNA RECETA.

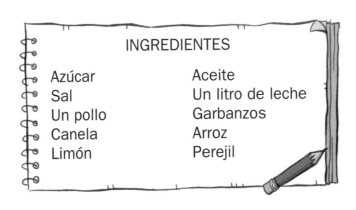

INGREDIENTES

Azúcar   Aceite
Sal   Un litro de leche
Un pollo   Garbanzos
Canela   Arroz
Limón   Perejil

HAY UN INGREDIENTE QUE SE NECESITA EN LAS DOS RECETAS.

Ingredientes para preparar pollo asado:

_____

Ingredientes para preparar arroz con leche:

_____

2 Julia y Félix están poniendo la mesa. Observa y escribe cuántos irán a comer.

Son _____ personas.

11 Un tesoro bajo el mar

- Comprensión de datos.
- Relación entre pregunta y respuesta.

FÍJATE EN LA NOTICIA Y EN LAS RESPUESTAS.

¡Magnífico tesoro hallado en el fondo del mar!

Ayer, 29 de octubre, la valiente exploradora Paloma Sainz volvió a sorprendernos con un increíble hallazgo. Esta vez, ha encontrado un antiguo barco pirata en las profundas aguas del mar. ¡Y está lleno de tesoros!

NO OLVIDES ESCRIBIR LOS SIGNOS DE INTERROGACIÓN (¿?).

1 Lee las respuestas y escribe las preguntas adecuadas.

¿Qué ha ocurrido? Que ha sido encontrado un tesoro bajo el mar.

Pregunta: _____

Respuesta: El 29 de octubre.

Pregunta: _____

Respuesta: Paloma Sainz.

Pregunta: _____

Respuesta: En un antiguo barco pirata.

Pregunta: _____

Respuesta: Hundido en las profundas aguas del mar.

12 Las letras que se han escapado

- Lectura rápida con palabras a las que les falta alguna letra.
- Formación de palabras.

DESCUBRE LAS LETRAS QUE FALTAN.

Un lunes de un mes cualquiera de un año cualquiera, la jota le dijo a la pe:

Estoy cansada de tanta __alabra y de tanta letra. ¿Te vienes conmigo a dar una vuelta? Y las dos se salieron del abecedario y se fueron cogidas de la mano.

Ya estaban hartas de estar siem__re en los libros, en las __izarras, en las ho__as de las libretas, en los letreros de los escaparates.

Querían ver la ciudad. Querían andar __or las calles. Querían __ugar en los __arques.

Al darse cuenta las otras letras del hueco que sus com__añeras habían de__ado en el abecedario, se enfadaron mucho y gritaron:

«¡Qué desfachatez! ¡Qué letradura!»

Y veían a la __ota y a la __e divertirse y __asarlo bien. Sintieron envidia y decidieron irse también.

1 Completa el texto escribiendo las letras que se han escapado.

2 Lee las preguntas y subraya las respuestas en el texto. Después, cópialas.

¿Qué le dijo la jota a la pe? Estoy _____

_____

¿Cómo se sintieron las demás letras? Sintieron _____

_____

3 ¿Adónde fueron la pe y la jota? Colorea el dibujo que corresponde.

4 Cuando las letras vieron que la jota y la pe se habían marchado, dijeron:
«¡Qué letradura!». ¿Qué habrían dicho si en lugar de letras fueran...

Unos coches que se van del garaje: ¡Qué cochedura!

Un juguete que se va de una tienda: _____

Una bombilla que se escapa de una lámpara: _____

5 Observa la ilustración y escribe el nombre de estos cuatro objetos.
¿Qué letra se escribe siempre antes de la *p* y de la *b*?

_____

_____

_____

La letra es la _____   _____

6 Copia con buena letra qué querían hacer la pe y la jota cuando se escaparon
del abecedario.

Querían _____

_____

13 El primer automóvil

- Comparación de datos.
- Memoria.

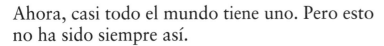

Ahora, casi todo el mundo tiene uno. Pero esto
no ha sido siempre así.

Cuando el primer coche de la historia salió del garaje
de su constructor y circuló por la calle, a la gente le dio miedo.
Y no es de extrañar, pues hacía tanto ruido que la policía lo prohibió.

Años más tarde, se inventó otro modelo. Hacía menos ruido, pero iba
como una tortuga. Tenía tres ruedas y corría menos que una bicicleta.

A la gente le pareció una máquina muy peligrosa. Decidieron
que cada vez que saliera a la calle, una persona iría delante del coche
avisando del peligro con una bandera roja.

Si ahora una persona tuviera que ir delante de cada coche,
¿te imaginas cuánto tendría que correr?

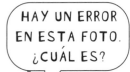

HAY UN ERROR
EN ESTA FOTO.
¿CUÁL ES?

1 Busca en el texto tres sustantivos masculinos y tres sustantivos femeninos
y cópialos.

MASCULINOS

FEMENINOS

_____

_____

_____

_____

_____

_____

2 Observa las imágenes y dibuja un coche actual. Después, escribe la historia del automóvil.

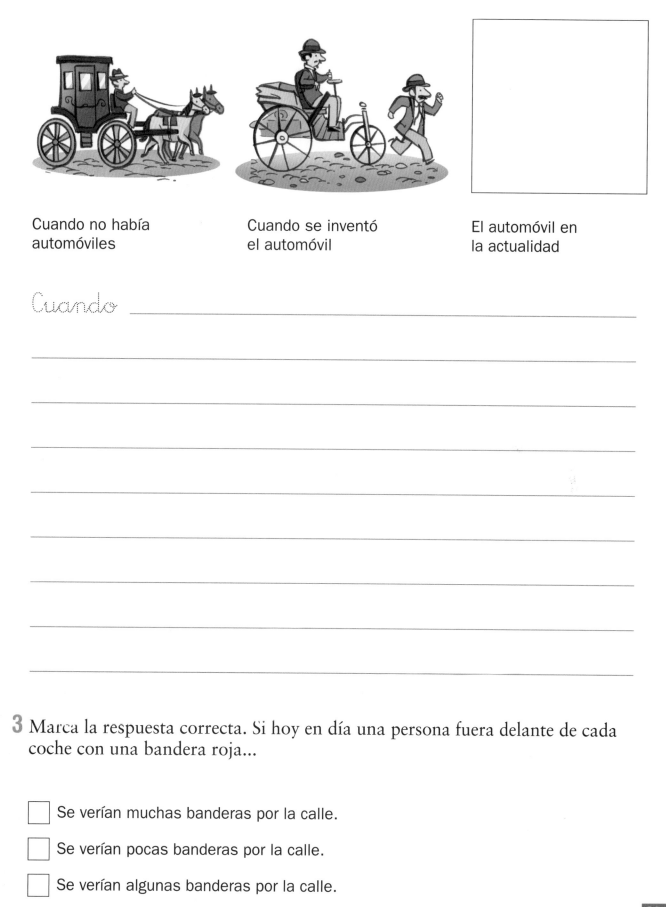

Cuando no había automóviles

Cuando se inventó el automóvil

El automóvil en la actualidad

Cuando _____

_____

_____

_____

_____

_____

_____

3 Marca la respuesta correcta. Si hoy en día una persona fuera delante de cada coche con una bandera roja...

☐ Se verían muchas banderas por la calle.

☐ Se verían pocas banderas por la calle.

☐ Se verían algunas banderas por la calle.

4 Ordena las viñetas y numera 1, 2 y 3. Después, colorea los dibujos.

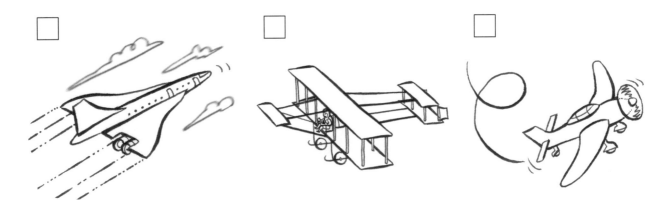

5 Copia las oraciones en orden.

Los primeros aviones
volaban muy despacio,
y recorrían distancias cortas.

En la actualidad,
los aviones vuelan
muy rápido.

Después, los aviones
podían hacer piruetas
en el aire.

_____

_____

_____

_____

_____

6 Observa las ilustraciones y completa las siguientes comparaciones.

Corre más rápido que una *gacela.*

Vuela menos que un _____

Hace más piruetas que un _____

Es más lento que una _____

Es más fiero que un _____

Es más astuto que un  _____

14 En busca del dinosaurio

- Comprensión de datos.
- Relación entre los textos y las imágenes gráficas.

LEE EL TEXTO CON ATENCIÓN.

Hoy seguimos estudiando la vida de aquellos enormes animales que vivieron hace años en la Tierra: los dinosaurios. Los hallazgos de huellas y huesos permiten a los científicos reconstruir cómo eran, qué comían, cuánto pesaban, si volaban o caminaban…

Este científico sigue la pista del hueso de un pterosaurio. Le han dicho que se encuentra enterrado bajo una gran piedra junto a una casa.

1 Dibuja el camino que debe seguir el científico para encontrar el hueso del pterosaurio. Después, escribe V (verdadero) o F (falso).

☐ El científico debe tomar un camino entre árboles.

☐ El científico tiene que llegar al río y cruzarlo por el puente.

☐ Tiene que tener cuidado con el cocodrilo que vive debajo del puente.

☐ Luego, debe caminar hasta un profundo agujero negro.

☐ Al final, el científico debe escalar una montaña.

2 ¿Cuáles de los siguientes elementos aparecen en el mapa? Copia sus nombres.

ciudad	árboles	montañas	río	piedras	cuevas	casa

15 La varita mágica

- Secuencia temporal.
- Reelaboración del final de una historia.

¡TE IMAGINAS TENER UNA VARITA MÁGICA!

Los lunes había mercado en la calle del pueblo. Lucía vio allí algo que le cortó la respiración. No cabía duda, aquella señora vendía ¡varitas mágicas!

–¿Funcionan? –preguntó Lucía.

–¡Ya lo creo! Tres veces cada una. Cuestan un euro.

–¡Vaya lata! –pensó Lucía, que solo tenía diez céntimos y veinte canicas.

Y entonces Lucía tuvo una idea: ¿por qué no vendía ella sus canicas y compraba una varita?

Pensado y hecho:

–¡A cinco céntimos la pieza!

Todos los niños del pueblo corrieron a comprárselas.

Lucía consiguió un euro con la venta, se compró la varita y todavía le sobraron diez céntimos.

Muy contenta empezó a pedir cosas a la varita. Primero pidió una bolsa llena de canicas. Y al instante las canicas aparecieron. Lo segundo que pidió fue una pelota de colores. Y esta apareció botando. Y en tercer lugar pidió un euro para comprar otra varita. Pero, entonces, no se sabe por qué, la varita… desapareció.

1 Rodea en el texto lo que compró Lucía. Después, subraya lo que vendió.

2 Recuerda la historia. Después, escribe V (verdadero) o F (falso), según corresponda.

> A VER SI ERES CAPAZ DE SABER CUÁLES SON VERDADERAS.

☐ El viernes había mercado en el pueblo de Lucía.

☐ La niña encontró a una vendedora de varitas mágicas.

☐ Las varitas mágicas valían un euro.

☐ Lucía tenía dos euros, así que se compró dos varitas.

☐ Las varitas mágicas de Lucía le concedieron seis deseos.

☐ Lucía pidió a su varita un euro para comprar otra varita.

3 ¿Qué pidió Lucía? Numera en orden.

☐    ☐    ☐

¿Cuántos deseos le concedió la varita mágica? _____

4 Observa a estos personajes de los cuentos y escribe sus nombres. Después, colorea solo a los que conceden deseos.

Príncipe   _____   _____   _____

5 ¿Qué dos deseos le pedirías tú a una varita mágica?

Primero _____

Después _____

33

16 Todo en su sitio

- Situaciones en presente.
- Recreación de situaciones absurdas.

LEE EL TEXTO CON MUCHO RITMO.

Los lobos, en el monte;
los pollitos, en el corral;
los peces, en el agua;
las barcas, en el mar.

Los monos, en el árbol;
la paja, en el pajar;
el higo está en la higuera;
las uvas, en el parral.

GLORIA FUERTES

1 En esta poesía, todo está en su sitio. Pero hay un error en el dibujo.
Rodéalo y escribe dónde debería estar.

Debería estar en _____

2 Escribe lo que hace cada personaje.

navegan   nadan   aúllan   pían

Los [🐺] _____ en el monte.

Los [🐤] _____ en el corral.

Los [🐟] _____ en el agua.

Las [🛶] _____ en el mar.

3 ¿Están en su sitio? Relaciona y escribe los disparates.

El pollito recién nacido   rema en su barca sobre la arena.

El Lobo Feroz   ha escalado la montaña.

Renato el barquero   aúlla subido en un sofá.

4 Copia con buena letra dónde están los monos, la paja, el higo y las uvas.

COPIA CON CUIDADO, QUE ES FÁCIL EQUIVOCARSE.

17 El niño que quería batir un récord

- Vocabulario.
- Comprensión de situaciones disparatadas.
- Relaciones de causa-efecto.

¿ERES CAPAZ DE AVERIGUAR EL ERROR QUE HAY EN LA ILUSTRACIÓN?

1 Lee el texto.

1 Había una vez un niño que quería batir un récord. Le daba igual qué récord fuera, con tal de hacerse famoso y salir en un libro de récords. Así que estaba todo el rato pensando qué récord podía batir, y se le ocurrían las ideas más peregrinas.

5 Un día se le ocurrió que podía decir la palabra *termómetro* más veces seguidas que nadie. De modo que empezó a repetir: «Termómetro, termómetro, termómetro, termómetro» cientos de veces.

Pero, claro, para que le dieran el récord necesitaba testigos:
10 alguien que estuviera presente y contara las veces que decía *termómetro*. Y, como es natural, a nadie le apetecía pasarse horas y horas oyendo al niño repetir: «Termómetro, termómetro, termómetro...». Así pues, tuvo que buscar otro récord que batir.

En otra ocasión, se le ocurrió apuntar en un bloc las matrículas de
15 todos los coches que viera por la calle y hacerse con la colección
de matrículas más grande del mundo. De modo que se pasó varios
días apuntando todas las matrículas que veía. Luego, muy
satisfecho, le enseñó a su padre el bloc lleno de matrículas y dijo
que pensaba batir el récord del mundo de recogida de matrículas.
20 Pero su padre le dijo:

–¿Y cómo demostrarás que estos números que has apuntado aquí
son realmente las matrículas de los coches que has visto?
Podrían ser números cualesquiera que te has inventado.

El niño comprendió que su padre tenía razón. Y tuvo que buscar
25 otro récord que batir.

«¿Y si me convierto en el niño del mundo que más llama
por teléfono?», pensó.

Y nada más pensarlo empezó a llamar por teléfono a todas
las personas que conocía: a sus amigos, a sus compañeros de clase,
30 a sus primos, a sus abuelos… Y cuando se le acabó la gente
conocida, cogió la guía telefónica y se puso a llamar al primer
número que se le ocurría.

Cuando llegó el recibo del teléfono y sus padres vieron el dineral
que había gastado llamando a todas partes, pusieron el grito
35 en el cielo y lo castigaron sin paga semanal hasta que pagara
todo lo que había gastado telefoneando sin ton ni son.

Y por fin logró batir un récord, pues fue el niño de su colegio
que más tiempo estuvo castigado.

2 Rodea de rojo la palabra *récord* en el texto.

3 Contesta.

¿Para qué quería el niño batir un récord?

_____

_____

¿Por qué no podía batir el récord de matrículas apuntadas?

_____

_____

¿Qué récord batió al final?

_____

_____

4 Marca. ¿Qué es una idea *peregrina*?

☐ Una idea estupenda.　　　☐ Una idea rara.　　　☐ Una idea genial.

Escribe tú una idea peregrina para batir un récord.

_____

_____

_____

5 Copia en su lugar.

| Ana **batió** un récord. | Luis **batió** un huevo. |

_____   _____

6 Numera en orden. Después, escribe.

☐ Termómetro, termómetro, termómetro...   ☐   ☐

1. Primero, repetía _____

2. Después, _____

3. Al final, _____

7 Marca la oración verdadera. ¿Por qué castigaron al niño?

☐ Castigaron al niño por usar el teléfono.

☐ Castigaron al niño por gastar mucho dinero en llamadas.

☐ Castigaron al niño por llamar al alcalde.

18 La canguro canguro

- Palabras que expresan el paso del tiempo.
- Palabras que tienen más de un significado.

HAY PALABRAS QUE NOMBRAN VARIAS COSAS.

1 Había una vez una niña que quería mucho a su abuela.
Siempre que sus padres salían por la noche se quedaba
con su abuelita, la anciana iba a su casa para cuidarla
y le contaba muchos cuentos.

5 Una noche, los padres de la pequeña decidieron salir
en el último momento. La abuela no pudo quedarse con ella
y tuvieron que buscar a una canguro. Como no conocían
a ninguna, buscaron en la guía telefónica una agencia.
Llamaron por teléfono y les aseguraron que en media hora
10 llegaría la canguro a la casa.

Como los padres tenían mucha prisa y la niña era muy buena
y muy formal, se fueron antes de que llegara la canguro.

Efectivamente, a los pocos minutos de marcharse los padres,
sonó el timbre y la niña corrió a abrir, preguntándose
15 si sería simpática la canguro que enviaba la agencia.

Y cuando la pequeña abrió la puerta se le pusieron los ojos
como platos, porque la canguro era… una canguro.
Una canguro de verdad, uno de esos animales que dan saltos
y tienen una bolsa donde guardan a sus crías.

Fragmento de *La canguro canguro*, de CARLO FRABETTI

1 Copia el fragmento del texto donde explica cómo son los canguros.

_____

_____

2 Subraya en el texto las siguientes palabras.

en el último momento | en media hora | a los pocos minutos

3 Contesta con buena letra.

¿A quién quería mucho la niña? _____

¿Dónde buscaron los padres a la canguro?

_____

¿Qué vio la niña cuando abrió la puerta?

_____

4 ¿Qué significa la expresión *se le pusieron los ojos como platos*?

☐ Sintió mucha pena.

☐ Se llevó una gran sorpresa.

☐ Le entró hambre.

5 Los padres llamaron a la agencia a las ocho. Cuando llegó la canguro, había pasado media hora. ¿Qué hora marcaba el reloj?

☐   ☐   ☐

6 Colorea solo las palabras relacionadas con el paso del tiempo.

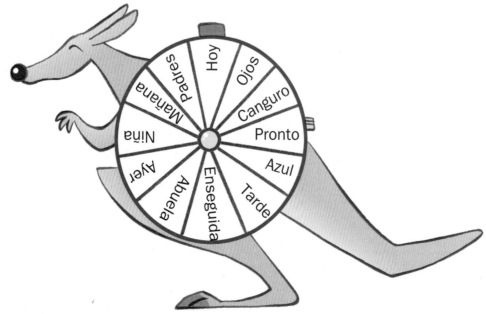

19 El cangrejo ermitaño

- Comprensión de datos.
- Descripción de elementos.

PON ATENCIÓN A LOS SUSTANTIVOS.

Si un día estás en la playa y ves una caracola que anda sola, no pienses que te has vuelto loco.

¡Seguro que dentro hay un cangrejo ermitaño!

El cangrejo ermitaño tiene el cuerpo muy blandito y utiliza las caracolas para protegerse.

Cuando encuentra una vacía, se mete corriendo y solo deja fuera las pinzas. Con ellas se mueve y avisa a otros cangrejos de que la caracola ya tiene dueño.

Cuando crece y la casa se le queda pequeña, sale de nuevo a recorrer mundo y a buscar un nuevo hogar.

Los cangrejos casi siempre comparten casa con un gusanito que se llama poliqueto.

Cuando un poliqueto se va a vivir con un cangrejo, consigue comida y un lugar donde vivir a salvo. Pues el gusanito se alimenta de los trocitos que se le caen a su compañero de piso.

1 Subraya en el texto los sustantivos que están en plural. Después, rodea dos sustantivos que estén en singular.

2 Observa el dibujo y rodea el objeto que no debería estar en la arena.

3 Colorea los personajes que dicen la verdad.

LOS CANGREJOS ERMITAÑOS VIVEN DENTRO DE UNA CARACOLA.

LOS CANGREJOS TIENEN EL CUERPO TAN DURO COMO UNA CONCHA.

YO HE VISTO UN CANGREJO CONSTRUYENDO UN CHALÉ CON UNOS CORALES.

YO HE VISTO UNO SALIENDO DE SU CARACOLA. HA CRECIDO TANTO QUE TIENE QUE IR A BUSCAR OTRA.

4 Lee este mensaje y adivina quién lo ha escrito: el cangrejo o el poliqueto.

¡ATENCIÓN!

Busco un buen amigo y una casa segura.
No como mucho. Me conformo con las sobras y soy muy ordenado.

El mensaje lo ha escrito _____

5 Ordena estas palabras y forma una oración. Escríbela.

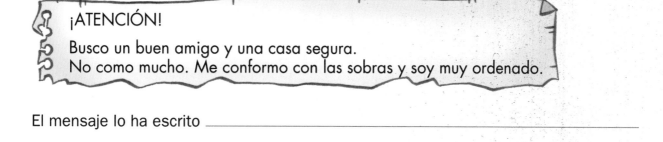

y   el cangrejo   juntos   El gusano   son.   felices

_____

6 Clasifica estas palabras.

caracola   cangrejos   pinzas   caracolas   cangrejo   pinza

sustantivos en singular _____

sustantivos en plural _____

20 Gretel, la lista

- Lectura expresiva.
- Situaciones humorísticas.

FÍJATE EN LAS EXCLAMACIONES (¡!).

1 Érase una vez una cocinera muy comilona
que se llamaba Gretel. Un día, su amo le dijo:

–Gretel, esta noche tengo un invitado. Prepara dos
perdices asadas.

5 Gretel encendió el fuego y asó las perdices. ¡Qué ricas!

Era ya la hora de la cena y el invitado no llegaba.
Y mientras tanto, Gretel miraba las perdices.

«¡Qué bien huelen!», pensó. «¡Tengo que probarlas!»

Entonces, Gretel cogió una perdiz y probó un ala,
10 y luego un muslito, y después la otra ala… hasta que
se comió la perdiz entera. Y al rato, poquito a poco,
Gretel se fue comiendo la segunda perdiz.

Terminó de tragarse el último bocado y llamaron
a la puerta: ¡pom, pom…! Era el invitado.
15 Gretel se puso muy nerviosa: no quedaba nada
de cena. Rápidamente abrió la puerta y dijo
al invitado:

–¡Márchese, señor! Mi amo quiere cortarle las orejas.

En ese momento, el amo estaba afilando unos
20 cuchillos. El invitado oyó el ruido y, asustado, echó
a correr calle abajo. Entonces, la cocinera fue a ver
al amo gritando:

–¡Señor! ¡El invitado se ha llevado las dos perdices!

–¡Mi cena! –exclamó el amo–, ¡me he quedado
25 sin cena! Al menos que me deje una perdiz.

Y salió corriendo detrás del amigo gritando:

–¡Dame una! ¡Solo una!

Pero el invitado corría y corría. Él quería conservar
sus dos orejas.

1 Rodea en el texto las exclamaciones.

2 Ordena las palabras y escribe las oraciones que explican qué hizo cada personaje.

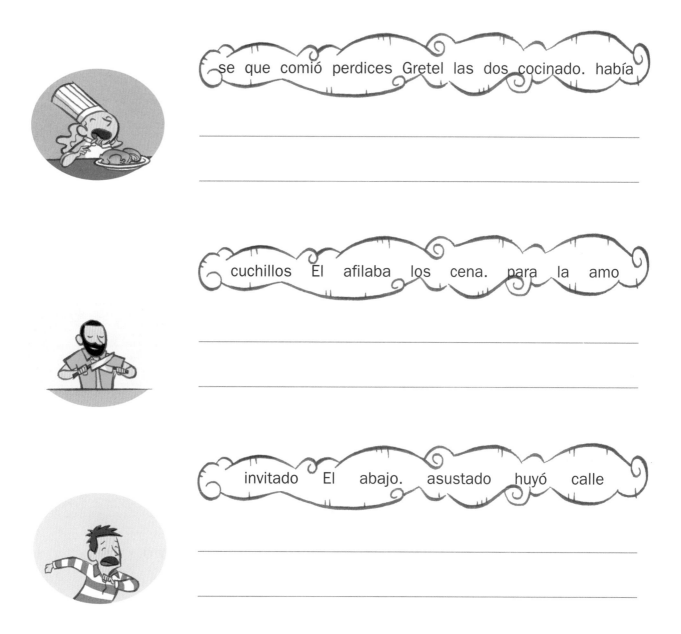

se que comió perdices Gretel las dos cocinado. había

_____

_____

cuchillos El afilaba los cena. para la amo

_____

_____

invitado El abajo. asustado huyó calle

_____

_____

3 Imagina qué pensaría Gretel al ver estos pasteles. Escribe dos exclamaciones utilizando cada una de las siguientes palabras.

olor: ¡Qué _____

grandes: _____

21 El niño robot

- Vocabulario relacionado con las máquinas y las herramientas.
- Reconocimiento de la coherencia de los datos.

¿CÓMO ES EL NIÑO ROBOT?

El niño robot
le dijo a su abuela
que le diera cuerda
para ir a la escuela.

La abuela le dijo
que estuviera quieto.
La cuerda le hacía
cosquillas al nieto.

La abuela robot,
antes de que se fuera,
le puso aceitito
con una aceitera;
le besó la frente
de acero pulido;
le peinó los rizos
de alambre torcido.

1 Rodea en el texto las palabras *acero*, *alambre*, *cuerda* y *aceitito*.

2 Ordena, numera y escribe qué hacen.

☐

☐

☐

_____

_____

_____

_____

_____

_____

3 Completa.

Mis ojos son dos 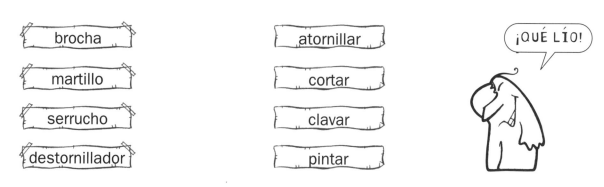 botones,

mis orejas, dos _____

mi nariz es una _____

mi boca, un viejo _____

mi cuerpo, una enorme _____

con unos cuantos _____

no tengo pies, sino _____

¡Corre, corre, que te pillo!

4 Relaciona cada herramienta con su utilidad.

brocha	atornillar
martillo	cortar
serrucho	clavar
destornillador	pintar

¡QUÉ LÍO!

5 Observa las siguientes piezas e inventa y dibuja un robot utilizando todas ellas.

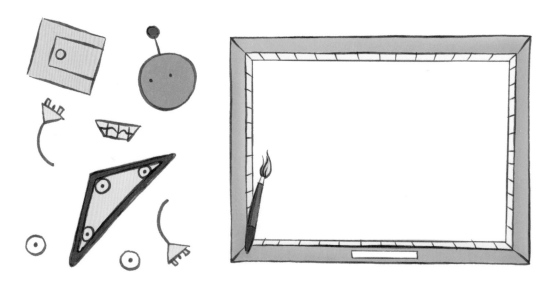

22 El búho que tenía miedo de la oscuridad

- Descripción de personajes.
- Situaciones paradójicas.

¿A QUÉ LE TIENE MIEDO PLOT?

Plot era un búho pequeño que vivía con su mamá
y su papá en el campo, en la copa de un árbol altísimo.

Plot era chato y velloso.
Plot tenía un precioso collar de plumas en forma de corazón.
Plot tenía unos enormes ojos redondos.
Plot tenía las rodillas muy torcidas.

Era exactamente igual a todos los búhos pequeños
que han existido siempre, excepto en una cosa. Plot tenía miedo
de la oscuridad.

–No puedes tener miedo de la oscuridad –decía su mamá sorprendida–.
Los búhos nunca han tenido miedo de la oscuridad. Los búhos son pájaros
de noche –le dijo.

Plot inclinó la cabeza, se miró las puntas de los pies y murmuró:

–Yo no quiero ser un pájaro de noche. Quiero ser un pájaro de día.

–Eres lo que eres –dijo la señora búho con cariño.

Fragmento de *El búho que tenía miedo de la oscuridad*, de JILL TOMLINSON

1 Rodea en el texto las expresiones que dicen cómo es Plot. Después, colorea
la ilustración.

2 Rodea el árbol donde vive Plot. Fíjate en su tamaño.

3 Contesta escribiendo con buena letra.

¿En qué era diferente Plot al resto de los búhos?

_____

¿Qué quería ser Plot?

_____

¿Qué le contestó la señora búho con cariño?

_____

4 Rodea las palabras que explican cómo es Plot. Después, elige una palabra y escribe una oración con ella.

miedoso   pequeño   grande

chato   calvo   velloso

_____

5 Lee la descripción de la mamá de Plot y dibújala.

La señora búho:
Tiene los ojos muy grandes.
Su cuerpo es casi redondo.
Sus alas son enormes y
siempre las lleva abiertas.
Sus patas son muy cortas.

23 El pedazo de cartón

- La descripción
- Velocidad lectora.

HAY MUCHOS PERSONAJES EN ESTA HISTORIA.

Había una vez un pedazo de cartón que quería ser cometa. Estaba tirado en la calle y decidió pedir ayuda a alguien que pasara.

Pasó un señor que tenía gafas y bigote, y el pedazo de cartón le dijo:

–Yo quiero ser una cometa.

Pero el señor dijo:

–Yo no necesito una cometa.

Pasó una señora que tenía un sombrero verde y un perro blanco, y el pedazo de cartón le dijo:

–Yo quiero ser una cometa.

Pero la señora dijo:

–Yo no necesito una cometa.

Pasó un niño, que tenía el pelo rubio y una camisa de rayas blancas y azules, y el pedazo de cartón le dijo:

–Yo quiero ser una cometa.

Y el niño dijo:

–Eso es lo que yo necesito para jugar. Voy a hacer contigo la cometa más bonita del mundo.

1 ¿Quiénes son los personajes de esta historia? Colorea.

2 ¿Qué tenía cada personaje? Subráyalo en el texto. Después, cópialo.

El señor tenía _____

La señora tenía _____

El niño tenía _____

3 ¿En qué se pueden convertir? Une y escribe.

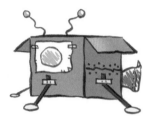

Un pedazo de cartón se puede convertir en una _____

Un papel de periódico _____

Una caja de cartón _____

4 Lee en voz alta el texto y pide a un adulto que mida el tiempo que tardas en hacerlo. Después, comprueba.

Tiempo	Resultado
2' a 2'50"	¡Enhorabuena! Tú sí que lees deprisa.
2'50" a 3'	Está bastante bien, pero debes practicar más.
3' a 3'50"	Lee otra vez con cuidado.

24 Historia de Patalarga

- Reiteración de palabras como recurso expresivo.
- Secuencia de acciones en una historia.

FÍJATE EN LAS PALABRAS QUE SE REPITEN.

Patalarga era un muñeco de papel que estaba sentado al lado de la ventana. Vino un señor, abrió la ventana y Patalarga se voló.

Y <u>volando</u>, <u>volando</u>, se encontró con unos pájaros que también volaban y volaban. Patalarga se unió a ellos, pero uno lo picó y Patalarga se enfadó. Entonces vio un avión y Patalarga lo siguió. Pero como el avión corría más, pronto lo dejó atrás.

Entonces vio una pelota que subía y subía, y Patalarga se sentó encima.

Luego, la pelota bajó y bajó, y Patalarga se agarró para no caerse. Y en esto una niña lo cogió.

–¡Un muñeco! ¡Me he encontrado un muñeco de papel! –chilló. Y se lo llevó con ella a su casa.

Desde entonces, Patalarga vivió con la niña, y al llegar el verano se fue con ella al campo para cambiar de aires. Patalarga iba muy contento, porque se imaginaba que allí el aire sería rojo o azul, ¡qué va!: el aire era igual de soso y de incoloro. Así que no le importó nada volver otra vez a la ciudad.

1 Observa las palabras subrayadas. Busca y subraya tres ejemplos más de palabras que se repiten.

2 Colorea a los personajes que aparecen en la historia.

3 Completa esta postal que escribió Patalarga.

¡Hola, amigos!

Os voy a contar lo que me pasó este verano.

Un día un señor abrió _____ y yo salí volando.

Primero, me encontré con unos _____ . Uno me picó.

Después vi un _____ y lo seguí.
Pero volaba tan rápido que me dejó atrás.

Luego, me senté encima de una _____ . Y cuando iba
a caer al suelo, una _____ me salvó.

Un beso de Patalarga.

4 Observa con atención las ilustraciones y contesta.

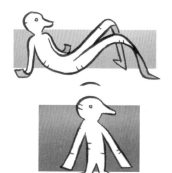

Este muñeco se llama Patalarga porque tiene las patas

_____

Este muñeco se llama _____

porque tiene las patas _____

5 Busca cinco palabras en la sopa de letras para completar las oraciones.

V	E	N	T	A	N	I	L	L	A
E	F	R	E	S	A	I	V	E	N
V	E	V	E	N	T	A	N	A	L
M	E	N	T	A	S	U	T	A	N
V	E	N	T	A	N	A	S	I	L
N	I	S	A	M	A	R	O	L	U
V	E	N	T	A	N	I	T	A	S
E	N	A	U	A	S	O	N	R	A

Las casas tienen _____

Un _____ es una ventana grande.

Las casas de los enanitos tienen _____

_____

Los coches tienen _____

25 La casa japonesa

- Características de los objetos.
- Comparación de elementos.

¡QUÉ CURIOSAS SON LAS CASAS JAPONESAS!

1 Las casas japonesas son muy diferentes a las nuestras. El suelo está cubierto por una gruesa alfombra de paja, que se llama *tatami*. Por eso, los japoneses siempre están
5 descalzos en casa. Las habitaciones son espaciosas. Hay muy pocos muebles, solo unas mesas bajas y mullidos cojines para sentarse. ¡Los japoneses no utilizan sillas!

Las paredes son desmontables. Están
10 hechas de papel muy fino y se pueden poner o quitar en cualquier momento.

Si entras en una casa japonesa, no olvides quitarte los zapatos y sentarte en el suelo.

1 Subraya en el texto las siguientes palabras: *gruesa*, *bajas*, *espaciosas*, *mullidos* y *desmontables*.

2 Relaciona las palabras que tienen el mismo significado.

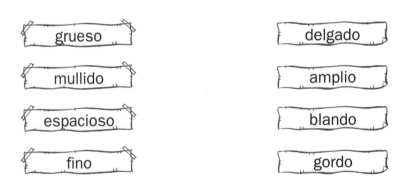

grueso	delgado
mullido	amplio
espacioso	blando
fino	gordo

3 ¿Qué normas se deben seguir en una casa japonesa? Marca las respuestas verdaderas.

☐ Debes descalzarte al entrar.　　　　☐ Te puedes llevar las paredes a tu casa.

☐ Tienes que entrar dando una voltereta.　　☐ Debes sentarte en el suelo.

4 Escribe cómo son...

La alfombra _____

Las habitaciones _____

Las mesas _____

Los cojines _____

Las paredes son _____

5 Colorea solo la habitación que corresponde a una casa japonesa.

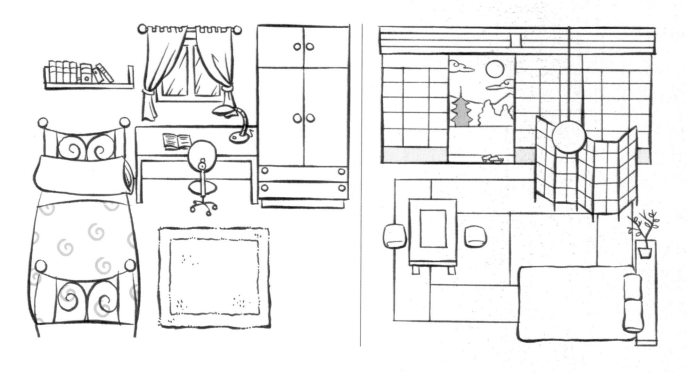

6 Estos signos son escritura japonesa y significan *Bienvenido*.
Copia el cartel y coloréalo.

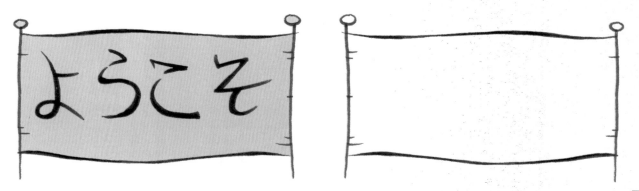

26 Los Reyes Magos y las palomas

- Relaciones de causa-efecto.
- Palabras que expresan sentimientos.

FÍJATE EN LOS PERSONAJES DE ESTA HISTORIA.

1 Lee el texto.

1 En Valleblanco, un pequeño pueblo de montaña, había
un nuevo cartero. Se llamaba Arturo y era un chico muy
trabajador. A los pocos días de estar allí, ya sabía dónde vivían
todos los vecinos. Y se pasaba el día corriendo de aquí
5 para allá repartiendo las cartas. ¡Tenían que llegar a tiempo!

Un buen día, Arturo encontró en el buzón un sobre que decía
así: «A los Reyes Magos. Oriente».

Arturo se quedó muy extrañado. ¿Dónde estaría eso
de Oriente? Él era un cartero novato y no sabía dónde vivían
10 los Reyes Magos.

A la mañana siguiente encontró un montón de sobres
como aquel y por la tarde muchos más. Y más al otro día,
y al otro, y al otro… ¡Su oficina de correos estaba inundada
de cartas para los Reyes Magos! Y él no sabía qué hacer.

15 Mientras tanto, en Oriente, los Reyes Magos estaban
ocupadísimos: tenían que leer miles de cartas de los niños
de todo el mundo y preparar los juguetes que les habían pedido.

–¡Qué raro! –dijo Melchor–. Este año no nos ha llegado
ni una carta de Valleblanco. ¿Qué habrá pasado?

20 –Quizá los niños ven tanta televisión que ya no juegan
–indicó Gaspar.

–¡No, no es eso! –protestó Baltasar–. A los niños les gusta
más jugar que ver la televisión. Yo creo que algo raro sucede
en Valleblanco.

25 Y era verdad. En Valleblanco, Arturo estaba cada vez más
preocupado. El buen cartero estaba muy triste. Casi lloraba
pensando en que los niños se iban a quedar sin juguetes por su culpa.

Una tarde, cuando solo faltaban dos días para la noche de Reyes,
una paloma blanca se posó en la ventana de Arturo y dio unos
30 golpecitos con el pico en el cristal: toc, toc, toc. El cartero abrió
al fin la ventana, y la paloma le dijo:

–Amigo, te veo muy triste y vengo a ofrecerte mi ayuda.

–Gracias, palomita, pero no puedes ayudarme. Faltan solo dos días
para Reyes y… ¡no sé adónde llevar las cartas de los niños!

35 –¡Claro que puedo ayudarte! –dijo el ave–. Yo soy una paloma
mensajera y he ido muchas veces al palacio de los Reyes.
¡Sé muy bien dónde viven!

A Arturo se le iluminaron los ojos. ¡Aún no estaba todo perdido!

La paloma llamó a sus amigas y al momento llegaron palomas de
40 todo el mundo a la oficina de Arturo. Y cada una cogió una carta
con su pico y echó a volar. ¡Una gran nube de palomas volaba
hacia Oriente!

–Gracias, amigas –les gritó Arturo–.
¡Y buen viaje!

45 En el país de los Magos, los Reyes estaban ya a punto de salir
de viaje con los juguetes. ¡Pero no había ni uno para Valleblanco!
De pronto, ¡qué maravilla!, apareció en el cielo una gigantesca
bandada de palomas mensajeras. Los pajes reales abrieron
las cartas y cargaron en los camellos los juguetes destinados
50 a Valleblanco.

La noche de Reyes, los niños de Valleblanco se fueron a la cama
muy temprano. También Arturo se acostó muy pronto, aunque
bastante inquieto. No sabía qué había pasado con las palomas.

La mañana de Reyes fue muy alegre en Valleblanco: todos
55 los niños tenían los regalos que habían pedido en sus cartas.
Y Arturo encontró, junto a sus zapatos, un papelito con la
dirección de sus majestades y una preciosa bicicleta.
¡Qué bien repartiría ahora las cartas!

2 Subraya de azul los nombres de los personajes en el texto y rodea de rojo los signos de admiración.

3 Contesta.

¿Dónde vivía el cartero Arturo? _____

¿Qué problema tenía Arturo? _____

_____

¿Quién solucionó el problema de Arturo? _____

¿Dónde vivían los Reyes Magos? _____

4 Escribe una lista de los juguetes que quieres que te traigan los Reyes Magos.

SOLUCIONARIO

1

PÁGINA 6

1. Melenas, melenudos, largas, melenas, despeinadas, a, fácil, melenas, melenas, verdes, melenudos, bañadores, vacías, melenas.

2. Los barbudos vestían trajes serios.

PÁGINA 7

3. Respuesta gráfica (R. G.).

4. Un hombre con barba es un hombre barbudo.
Un hombre con melena es un hombre melenudo.
Un perro con lanas es un perro lanudo.
Un gato con bigotes es un gato bigotudo.

Es un hombre barbudo.
Es un hombre melenudo.
Es un perro lanudo.
Es un gato bigotudo.

2

PÁGINA 8

1. ANTES: sosos, duros. AHORA: dulces, blandos.

2. Los indios masticaban chicle a todas horas.

PÁGINA 9

3. R. G.

4. R. G. El dibujo misterioso es una zanahoria.

5. Están mucho más ricos, pero pueden producir caries si los comemos y no nos lavamos los dientes.

3

PÁGINA 11

1. R. G.

2. La anciana regaló a la niña un puchero.
El puchero podía cocinar solo.
La vecina decidió robar el puchero.
El pueblo se llenó de natillas.
Porque la vecina tuvo que limpiar todo el pueblo de natillas.

3. Respuesta libre (R. L.).

4. La vecina tuvo que limpiar todas las casas y las calles del pueblo.

4

PÁGINA 12

1. *Dentista* es el nombre de una profesión.

PÁGINA 13

2. Conductor: Buenos días.
Andrés: No hacía falta que me gritaras.
Mamá: Ve tú detrás y yo me quedaré aquí.

3. Se puso rojo porque sentía vergüenza.
R. G. Es la penúltima viñeta.

4.

Andrés se sentía avergonzado porque su madre gritó en el autobús que no se había lavado los dientes, ni las orejas ni las manos.

5

PÁGINAS 14 y 15

1. y **2.** R. G.

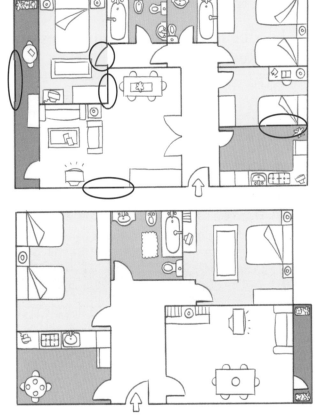

2. Piso de dos dormitorios, salón-comedor, un baño completo, amplia cocina y terraza. Reformado recientemente.

3. Estancias: Baño, cocina, dormitorio, salón-comedor, terraza.

PÁGINA 16

4. La cama se coloca en el dormitorio.
La nevera se coloca en la cocina.
La bañera se coloca en el baño.
El sofá se coloca en el salón.
La maceta se coloca en la terraza.

6

1. F, V, F, V, V, V, F, F, F.

2. Error: la gallina que nada en el lago; porque las gallinas no saben nadar.

3. Ballena, delfín, pato, gallina, rana, libélula, mariquita, ganso, saltamontes, sapo.

7

PÁGINA 18

1. Primero, después, más tarde, por último, hace años, ahora. Arar, sembrar, segarlas, aventar.

PÁGINA 19

2. Arar es remover la tierra con el arado.
   Sembrar es echar las semillas en la tierra.
   Segar es cortar las espigas.
   Aventar es separar la paja del trigo.

3. EL LABRADOR: hace años / ahora
   EL TRANSPORTISTA: ahora / hace años

4. Respuesta modelo (R. M.). Hace años el transportista llevaba la mercancía en un carro tirado por un animal. Ahora el transportista lleva la mercancía en un camión.

8

PÁGINA 20

1. Ratón, ratoncillo, robado, red, rugir, rugidos, roer, romperla.

2. Garras, corrió.

PÁGINA 21

3. 3, 2, 1, 4.

4. Merodear: andar alrededor de un lugar.
   Hallarse: encontrarse en un lugar.
   Apiadarse: sentir lástima por alguien.

5. R. G. El primero es el ratón; el segundo es el león.

6. El ratón, al verse preso, pidió disculpas al león por haberle molestado, y este se apiadó de él y le perdonó.

9

PÁGINA 22

1. Perro, gato, gallo, pata, patitos, patos.
   Estos animales son domésticos, porque viven con las personas en una granja.

PÁGINA 23

2. R. G. Hay que colorear el perro, el gato, el gallo y el pato.

3. El gato hace miau.   El perro hace guau.
   El gallo hace kikirikí.   El pato hace cluá.

4. R. G. Pato-estanque, gallo-corral, cerdo-pocilga, vaca-establo.

5. Que el perro le empujó al gato, y el gato cayó al corral, que el gallo se subió en alto y se puso a gallear.

10

PÁGINA 24

1. Pollo asado: sal, un pollo, limón, aceite, perejil.
   Arroz con leche: azúcar, canela, limón, un litro de leche, arroz.

PERSONAJE: El ingrediente que no se usa en ninguna receta es garbanzos.
PERSONAJE: El ingrediente que se necesita en las dos recetas es el limón.

2. Son cinco personas.

11

PÁGINA 25

1. ¿Cuándo se encontró?
   ¿Quién encontró el tesoro?
   ¿Dónde estaba el tesoro?
   ¿Dónde estaba el antiguo barco pirata?

12

PÁGINA 26

1. Palabra, siempre, pizarras, hojas, por, jugar, parques, compañeras, dejado, jota, pe, pasarlo.

2. Estoy cansada de tanta palabra y tanta letra. ¿Te vienes conmigo a dar una vuelta?
   Sintieron envidia y decidieron irse también.

PÁGINA 27

3. R. G. Colorear la primera ilustración.

4. ¡Qué cochedura!
   ¡Qué juguetedura!
   ¡Qué bombilladura!

5. Lámpara, sombrero, trompeta, tambor. La letra que se escribe siempre antes de la p y la b es la m.

6. Querían ver la ciudad. Querían andar por las calles.
   Querían jugar en los parques.

13

PÁGINA 28

1. Sustantivos masculinos: mundo, coche, garaje, constructor, miedo, ruido, años, modelo, ruido, peligro.
   Sustantivos femeninos: historia, calle, gente, policía, tortuga, ruedas, bicicleta, máquina, bandera, persona.
   PERSONAJE: El error de la foto es que a la derecha hay un coche moderno, y la foto es antigua.

PÁGINA 29

2. R. M. Cuando no había automóvil, las personas viajaban en coches de caballos.
   Cuando se inventó el automóvil, las personas se asustaban del ruido.
   En la actualidad, los coches son más silenciosos y más seguros.

3. Se verían muchas banderas por la calle.

PÁGINA 30

4. 3, 1, 2.

5. Los primeros aviones volaban muy despacio, y recorrían distancias cortas.
   Después, los aviones podían hacer piruetas en el aire.
   En la actualidad, los aviones vuelan muy rápido.

6. Corre más rápido que una gacela.
   Vuela menos que un pingüino.
   Hace más piruetas que un mono.
   Es más lento que una tortuga.
   Es más fiero que un león.
   Es más astuto que un zorro.

14

1. R. G. V, V, F, F, F.

2. Árboles, montañas, río, piedras, casa.

15

1. Lucía compró una varita mágica.
Lucía vendió sus veinte canicas.

2. F, V, V, F, F, V.

3. 2, 3, 1.
Le concedió dos deseos.

4. R. G. Bruja, mago, hada. Los que conceden deseos son el mago y el hada.

5. Respuesta libre.

16

1. R. G. Error: Hay un mono en el corral.
El mono debería estar en el árbol.

2. Los lobos aúllan en el monte.
Los pollitos pían en el corral.
Los peces nadan en el agua.
Las barcas navegan en el mar.

3. Renato el barquero rema en su barca sobre la arena.
El pollito recién nacido ha escalado la montaña.
El Lobo Feroz aúlla subido en un sofá.

4. Los monos, en el árbol; la paja, en el pajar; el higo está en la higuera; las uvas, en el parral.

17

1. PERSONAJE: El error de la ilustración es que hay un perro subido a un árbol, a la izquierda.

2. La palabra récord aparece en las líneas 1, 2, 3, 9, 13, 19, 25 y 37.

3. El niño quería batir un récord para hacerse famoso.
No podía batir el récord de matrículas apuntadas porque no podía demostrar que los números apuntados eran matrículas.
Batió el récord de ser el niño de su colegio que más tiempo estuvo castigado.

4. Una idea peregrina es una idea rara.
R. L.

5. R. G. Luis batió un huevo. Ana batió un récord.

6. 1, 3, 2.
Primero, repetía la palabra termómetro cientos de veces.
Después, apuntaba en un bloc las matrículas de todos los coches que veía por la calle.
Al final, empezó a llamar por teléfono a todas las personas que conocía.

7. Castigaron al niño por gastar mucho dinero en llamadas.

18

1. Una canguro de verdad, uno de esos animales que dan saltos y tienen una bolsa donde guardan a sus crías.

2. Línea 6: «en el último momento».
Línea 9: «en media hora».
Línea 13: «a los pocos minutos».

3. La niña quería mucho a su abuela.
Los padres buscaron a la canguro en una agencia.
La niña vio una canguro de verdad.

4. Se llevó una gran sorpresa.

5. Las ocho y media (el tercer reloj).

6. Hoy, pronto, tarde, enseguida, ayer, mañana.

19

1. Sustantivos que están en plural: caracolas, pinzas, cangrejos, cangrejos, trocitos.
Sustantivos que están en singular: día, playa, caracola, cangrejo, cangrejo, cuerpo, caracola, dueño, casa, mundo, hogar, casa, gusanito, poliqueto, poliqueto, cangrejo, comida, lugar, gusanito, compañero, piso.

2. R. G. El objeto que no debería estar en la arena es la lata que aparece en la parte de abajo del dibujo.

3. R. G. El pulpo y el caballito de mar.

4. El mensaje lo ha escrito el poliqueto.

5. El gusano y el cangrejo son felices juntos.

6. Sustantivos en singular: caracola, cangrejo, pinza.
Sustantivos en plural: cangrejos, pinzas, caracolas.

20

1. Línea 5: «¡Qué ricas!».
Línea 8: «¡Qué bien huelen!», «¡Tengo que probarlas!»
Línea 14: «¡pom, pom…!»
Línea 18: «¡Márchese, señor!»
Línea 23: «¡Señor!» «¡El invitado se ha llevado las dos perdices!»
Línea 24: «¡Mi cena!, ¡me he quedado sin cena!»
Línea 27: «¡Dame una! ¡Solo una!»

2. Gretel se comió las dos perdices que había cocinado.
El amo afilaba los cuchillos para la cena.
El invitado huyó asustado calle abajo.

3. R. M. ¡Qué olor más bueno tienen los pasteles!
¡Qué pasteles más grandes!

21

PÁGINA 46

1. El niño robot
le dijo a su abuela
que le diera <u>cuerda</u>
para ir a la escuela.

La abuela le dijo
que estuviera quieto.
La cuerda le hacía
cosquillas al nieto.

La abuela robot,
antes de que se fuera,
le puso <u>aceitito</u>
con una aceitera;
le besó la frente
de <u>acero</u> pulido;
le peinó los rizos
de <u>alambre</u> torcido.

2. 2, 3, 1.
La abuela pone al robot aceitito.
La abuela peina al robot los rizos.
La abuela da cuerda al robot.

PÁGINA 47

3. Mis ojos, son dos botones,
mis orejas, dos tornillos,
mi nariz es una canica,
mi boca, un viejo cepillo,
mi cuerpo, una enorme tubería
con unos cuantos tapones,
no tengo pies, sino ruedas.

4. Brocha-pintar, martillo-clavar, serrucho-cortar,
destornillador-atornillar.

5. R. L./R. G.

22

PÁGINA 48

1. Pequeño, chato, velloso, tenía un precioso collar de
plumas en forma de corazón, tenía unos enormes ojos
redondos, tenía las rodillas muy torcidas, tenía miedo
de la oscuridad.

PÁGINA 49

2. R. G. Rodear el tercer árbol.

3. En que Plot tenía miedo a la oscuridad.
Plot quería ser un pájaro de día.
La señora búho le contestó: «Eres lo que eres».

4. Miedoso, chato, pequeño, velloso.
R. M. La bicicleta de mi hermano es muy grande.

5. R. G.

23

PÁGINA 50

1. R. G.

PÁGINA 51

2. El señor tenía gafas y bigote.
La señora tenía un sombrero verde y un perro blanco.
El niño tenía el pelo rubio y una camisa de rayas blancas
y azules.

3. Un pedazo de cartón se puede convertir en una cometa.
Un papel de periódico se puede convertir en un barquito
de papel.
Una caja de cartón se puede convertir en una nave espacial.

24

PÁGINA 52

1. Unos pájaros que también volaban y volaban; una pelota
que subía y subía; la pelota bajó y bajó.

2. R. G. (El avión, la niña, el señor y la pelota.)

PÁGINA 53

3. ¡Hola, amigos!

Os voy a contar lo que me pasó este verano.

Un día un señor abrió **la ventana** y yo salí volando.
Primero, me encontré con unos **pájaros**. Uno me picó.
Después, vi un **avión** y lo seguí. Pero volaba tan rápido
que me dejó atrás.

Luego, me senté encima de una **pelota**. Y cuando iba
a caer al suelo, una **niña** me salvó.
Un beso de Patalarga.

4. Este muñeco se llama Patalarga porque tiene las patas
largas.
Este muñeco se llama Patacorta porque tiene las patas
cortas.

5. R. G.

Las casas tienen **ventanas**.
Un **ventanal** es
una ventana grande.
Las casas de los enanitos
tienen **ventanitas**.
Los coches tienen
ventanillas.

25

PÁGINA 54

1. Línea 3: «gruesa»; línea 6: «espaciosas»;
línea 7: «bajas», «mullidos»; línea 9: «desmontables».

2. Grueso-gordo, mullido-blando, espacioso-amplio,
fino-delgado.

3. «Debes descalzarte al entrar»; «Debes sentarte
en el suelo».

PÁGINA 55

4. La alfombra es gruesa y es de paja.
Las habitaciones son espaciosas.
Las mesas son bajas.
Los cojines son mullidos.
Las paredes son desmontables.

5. R. G. (La habitación japonesa es la de la derecha.)

26

PÁGINA 59

2. Personajes: Arturo, líneas 2, 6, 8, 25, 29, 38, 40, 43,
52, 56. Reyes Magos, líneas 7, 10, 14, 15.
Melchor, línea 18. Gaspar, línea 21. Baltasar, línea 22.
Signos de admiración (¡ !), líneas 5, 13, 14, 18, 22, 34,
35, 37, 38, 41, 42, 44, 46, 47, 58.

3. Vivía en un pueblo llamado Valleblanco.
Que tenía muchas cartas para los Reyes Magos
y no sabía dónde estaba Oriente.
Lo solucionaron unas palomas.
Vivían en un palacio en Oriente.

4. R. L.

El cuaderno **110 ejercicios para mejorar la comprensión lectora**, para segundo curso de Educación Primaria, es una obra colectiva, diseñada y creada en el departamento
de Ediciones Educativas de Santillana Educación, S. L., dirigido por ENRIQUE JUAN REDAL.

En su realización ha participado el siguiente equipo:

Textos:
Esther Echevarría y Montserrat Herrero

Dibujos:
Javier Hernández

Edición:
Silvia Caunedo y Montserrat Herrero

Dirección de arte: José Crespo
Proyecto gráfico:
    Diseño de portada: Cristina Vergara
    Ilustración de portada: Avi
    Diseño de interiores: Martín León-Barreto
Jefa de proyecto: Rosa Marín
Coordinación de ilustración: Carlos Aguilera
Desarrollo gráfico: Raúl de Andrés, José Luis García y Javier Tejeda

Dirección técnica: Ángel García Encinar

Coordinación técnica: Ángeles Bárzano
Composición y montaje: Luis González y Linocomp, S. L.
Corrección: Cristina Durán
Documentación y selección fotográfica: Marilé Rodrigálvarez
Fotografías: S. Enríquez; COVER/SYGMA/KEYSTONE PARIS; COVER/CORBIS/Bettmann; ARCHIVO SANTILLANA

Dirección del proyecto:
LOLA NÚÑEZ MADRID

© 2006 by Santillana Educación, S. L.
Torrelaguna, 60. 28043 Madrid

Printed in Spain

ISBN: 978-84-294-0890-4
CP: 846031